きせかえたい！
推し コスチューム

寺西 恵里子／作
Eriko Teranishi

汐文社

はじめに **P.4**

ぬってつくるマスコット・推しぬいのつくり方の基本ステップ **P.5**

きせて応援しよう！
スポーツ **P.6**

実物大の型紙  **P.8**

「推しぬい」の定番！
スクール **P.7**

実物大の型紙  **P.11** **P.23**

すっぽり入ってかわいい！
動物の着ぐるみ **P.12**

実物大の型紙  **P.14**

「推しぬい」で人気！
ベビー・幼稚園 **P.13**

実物大の型紙 **P.14** **P.17** **P.23**

帽子がキュート！
なりきりフルーツ P.18

実物大の型紙 P.20

エプロンがポイント！
カフェ P.19

実物大の型紙 P.20

キラキラ華やか！
王子様・お姫様 P.24

実物大の型紙 P.26

かっこいい！かわいい！
アイドル P.25

実物大の型紙 P.26 P.29

・・・・・・・・・・・・・・・・・・・・・・・・・・・・・・・・・

きほんの 本格推しぬい P.30

実物大の型紙 P.36

ぬい始め・ぬい終わり P.38

きれいにぬうコツ P.38

刺しゅう糸・針 P.38

ぬい方の基礎 P.39

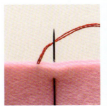

はじめに

好きな人形には、服をきせたくなりますね。
自分でつくった人形なら、よりそう思うはず……
推しぬいの服、つくってみませんか？

ぬっても！はっても！
好きな方法でつくれます。

ユニフォームをきせたいなら、
かっこいいデザインをゼッケン布にかいて！
かわいい服をきせたいなら
フリル、リボンやラインストーンをつけて！

手芸ってむずかしそう……
と思うかもしれませんが、
工作のようにつくれます。

好きな推しぬいをつくって
好きな服をきせて！
オリジナルデザインにチャレンジしましょう！

飾ったり、バッグにつけたり
いつでもいっしょ！
たくさん服をつくってあげましょう！

小さな人形に
大きな願いをこめて……

寺西 恵里子

ぬってつくるマスコット・推しぬいのつくり方の基本ステップ

ステップ 1 服のデザインを決めます。

素材を合わせて決めます。

ステップ 2 材料と用具を用意します。

作業がしやすいようにそろえておきます。

材料
用具

ステップ 3 布やフェルトを切ります。

きれいに切れていると、仕上がりもきれいです。

ステップ 4 ぬったり、はったりしてつくります。

ゆっくりていねいにつくりましょう。

ステップ 5 服をつくりきせて、できあがり！

服は好きなようにデコレーションしても！

スポーツ

きせて応援しよう！

ゼッケン布をつかえば、複雑な柄もかんたんに！
「推し」のチームのユニフォームをつくってみよう！

「推しぬい」の定番!
スクール

刺しゅうをすることで、より制服らしくなります!
つくりたい学校の制服に合わせてつくってみましょう!

実物大の型紙
頭・ボディ P.31　髪・顔 P.31,36,37
服 P.8,11,23

サッカーのユニフォームをつくりましょう！

❶ 型紙の上にゼッケン布を置き、セロハンテープではります。鉛筆でユニフォームのまわりを写します。

❷ 油性ペンや色鉛筆で、ユニフォームの柄をかきます。

> 色鉛筆でぬった部分は、フキサチーフ（色鉛筆などでぬった色がとれないようにするスプレー）をかけると、こすれても落ちにくくなります。

❸ はさみで鉛筆の線の内側を切ります。

❹ 裏返して、❸の★の線と下の線を合わせてたたみ、折り目をつけます。反対側にも折り目をつけます。

❺ 脇をブランケットステッチでぬいます。（P.39参照）

❻ 型紙の通りに、ゼッケン布に柄をかき、切ります。

❼ 裏返し、左右を真ん中に折り合わせ、折り目をつけます。

❽ 折り目に沿って折り、股をブランケットステッチでぬいます。

バスケットボールのユニフォームをつくりましょう！

❶ ユニフォームの上をつくります。（サッカーのユニフォーム❶～❺参照）

❷ ユニフォームの下をつくります。（サッカーのユニフォーム❻～❽参照）

> 裏面は、糸を色鉛筆でぬるとぬい目が目立ちにくくなります。

セーラー服をつくりましょう！ ※型紙：P.23

1

型紙の通りに、セーラー服のパーツを切ります。（P.32の**1**参照）

2

ランニングステッチで刺しゅうします。（P.39参照）

3

セーラー服の左右を折り下げて、脇をブランケットステッチでぬいます。

4

襟の内側にボンドをつけ、セーラー服にはります。

5

幅0.9cmのリボンを結んで切り、ボンドをつけて表にはります。

6

型紙の通りに、スカートのパーツを切ります。（P.32の**1**参照）

7

スカートの左右を真ん中に折り合わせ、洗たくばさみでとめます。

8
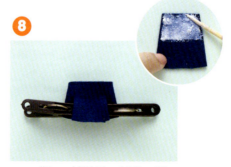
ヒダ（大）の上半分に竹串を使いボンドをつけ、スカートの真ん中にはります。

9

同じようにヒダ（小）をはります。表面も、同じようにヒダをはり重ねます。

学生服をつくりましょう！

1
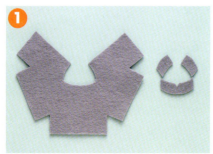
型紙の通りに、学生服のパーツを切ります。（P.32の**1**参照）

2

ランニングステッチで刺しゅうします。（P.39参照）

3

左右を折り下げて、脇をブランケットステッチでぬいます。

④ 襟の内側にボンドをつけます。

⑤ 写真のように、学生服にはります。

⑥ ビーズにプラスチック用ボンドをつけ、表にはります。

⑦ 型紙の通りに、ズボンを切ります。
（P.32の❶参照）

⑧ ランニングステッチで刺しゅうします。
（P.39参照）

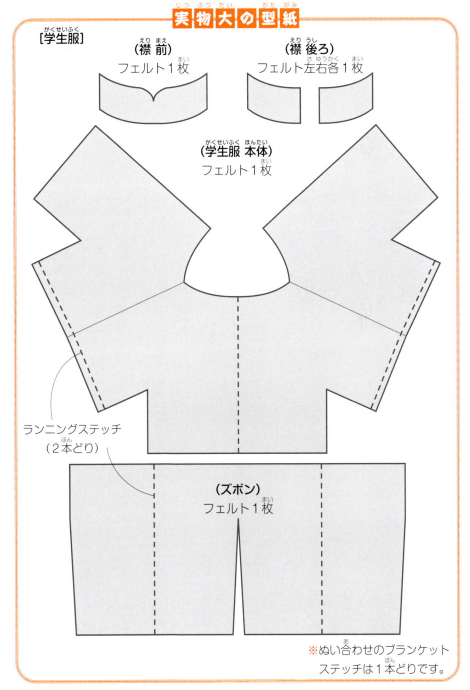

⑨ 左右を真ん中に折り合わせ、股をブランケットステッチでぬいます。
※股は細かくぬいましょう。

実物大の型紙

[学生服]
（襟 前）フェルト1枚
（襟 後ろ）フェルト左右各1枚
（学生服 本体）フェルト1枚
ランニングステッチ（2本どり）
（ズボン）フェルト1枚

※ぬい合わせのブランケットステッチは1本どりです。

すっぽり入ってかわいい！
動物の着ぐるみ

耳をかえれば、ちがう動物をつくることもできます！
好きな色で、好きな動物をつくってみましょう！

「推しぬい」で人気！
ベビー・幼稚園

ランニングステッチして少ししぼると、かんたんにギャザーがつくれます！

実物大の型紙
頭・ボディ P.31　髪・顔 P.31,36,37
服 P.14,17,23,31

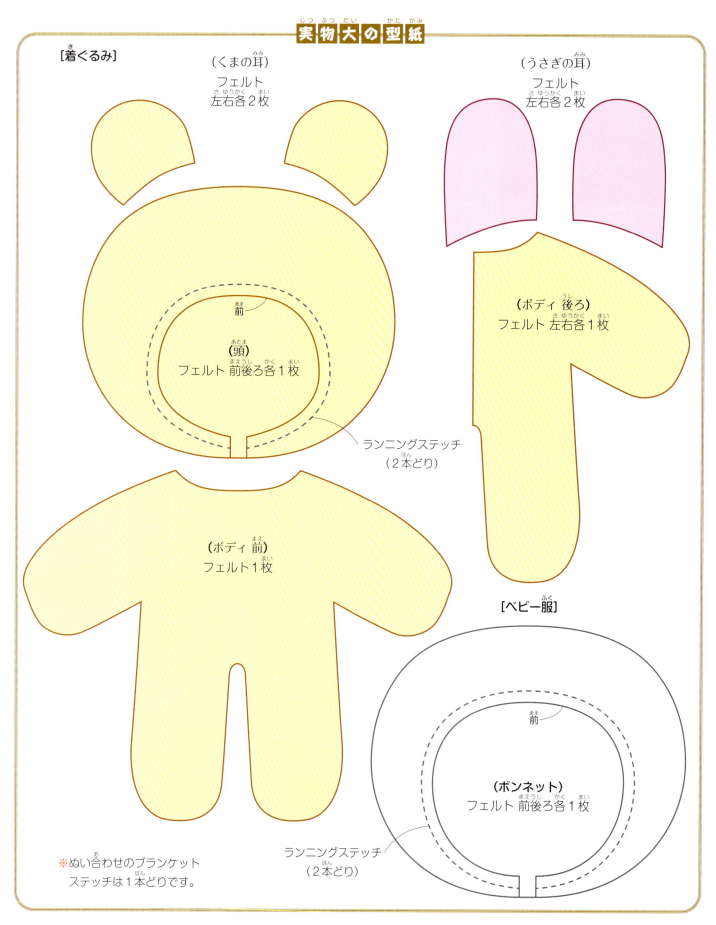

くまの着ぐるみをつくりましょう！

❶ 型紙の通りに、着ぐるみの頭のパーツを切ります。（P.32の❶参照）

❷ ランニングステッチで刺しゅうします。（P.39参照）

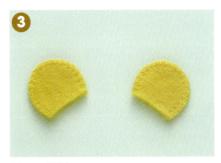

❸ 耳を2枚重ねてブランケットステッチでぬいます。

❹ 耳の下にボンドをつけ、下の図を参考に耳を頭の前と後ろにはさみます。

❺ 頭の下を残し、ブランケットステッチでぬいます。

❻ 幅0.4cmのリボンを13cmに切ります（2本）。リボンの端にボンドをつけ、内側にはります。

❼ 型紙の通りに、着ぐるみのボディのパーツを切ります。（P.32の❶参照）

❽ 前と後ろを重ねて、ブランケットステッチでぬいます。

ぬうときにずれないよう、洗たくばさみでとめてもいいですね！

うさぎの着ぐるみをつくりましょう！

うさぎの着ぐるみの上下をつくります。（くまの着ぐるみ参照）

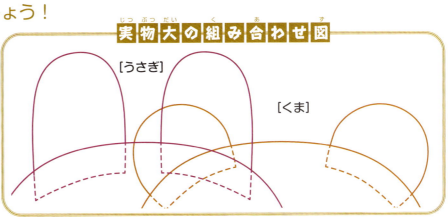

実物大の組み合わせ図　[うさぎ]　[くま]

ベビー服をつくりましょう！

※ ボンネットの型紙：P.14　Tシャツの型紙：P.31　カバーオールの型紙：P.23

1

型紙の通りに、ボンネットのパーツを切ります。（P.32の**1**参照）

2
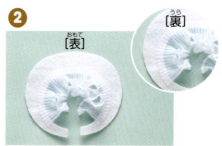
幅2cmフリル（12cm）にボンドをつけ、写真のように前の裏にフリルが内向きになるようにはります。

3

表に返し、フリルを外側に折りながら、ランニングステッチで刺しゅうします。（P.39参照）

4

前と後ろを重ねて、ブランケットステッチでぬいます。

5

幅0.4cmのリボンを13cmに切ります（2本）。リボンの端にボンドをつけ、内側にはります。

6

Tシャツをつくります。（P.34の**6**①〜③・⑦〜⑨参照）

7

型紙の通りに、カバーオールを切ります。（P.32の**1**参照）

8

ランニングステッチで刺しゅうします。

9

左右を折り下げて、脇をブランケットステッチでぬいます。

10

下をランニングステッチし、しぼります。（2本どり）

11

しぼって玉どめをします。

12

ボタンにプラスチック用ボンドをつけ、表にはります。

スモックをつくりましょう！

※ハーフパンツの型紙：P.31

❶ 接着芯をはった布を、型紙の通りに、スモックを切ります。
（P.35、P.32の❶参照）

❷ ランニングステッチで刺しゅうします。
（P.39参照）

❸ 首周りと袖をランニングステッチしてしぼります。
（ベビー服の❿参照・2本どり）

❹ 左右を折り下げて、脇をブランケットステッチでぬいます。

❺ ボタンにプラスチック用ボンドをつけ、表にはります。

❻ ハーフパンツをつくります。
（P.35参照）

実物大の型紙

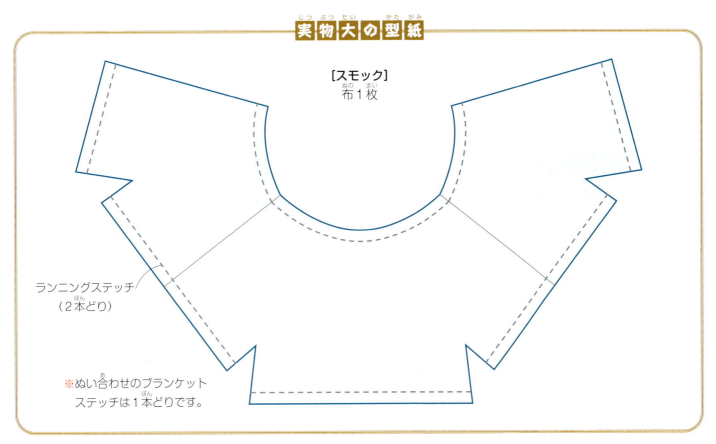

[スモック]
布1枚

ランニングステッチ
（2本どり）

※ぬい合わせのブランケットステッチは1本どりです。

帽子がキュート！
なりきりフルーツ

葉っぱやヘタはぼうしにはさんでぬいましょう！
フルーツのもようは、リボンやビーズで表現します！

エプロンがポイント！
カフェ

レースやリボンをつかえばエプロンもかんたんに！
丸襟（まるえり）も、レースを上手（じょうず）につかってみましょう！

実物大（じつぶつだい）の型紙（かたがみ）

頭（あたま）・ボディ **P.31**　髪（かみ）・顔（かお） **P.36,37**
服（ふく） **P.11,20,31**

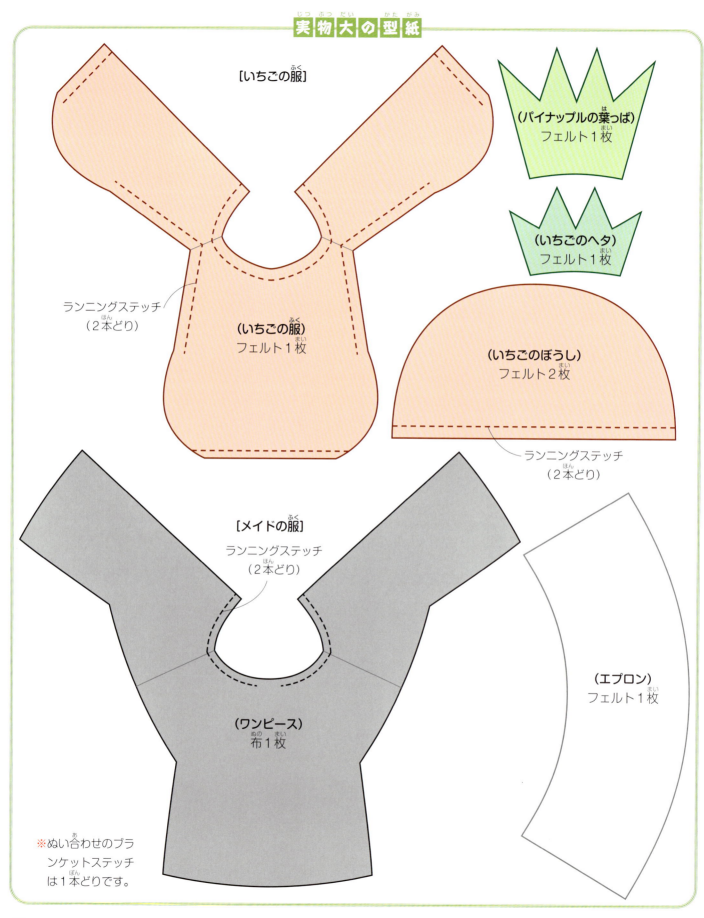

いちごの服をつくりましょう！

1
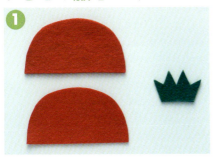
型紙の通りに、いちごのぼうしのパーツを切ります。（P.32の**1**参照）

2

ランニングステッチで刺しゅうします。（P.39参照）

3

ヘタの下にボンドをつけ、下の図を参考にヘタをぼうしの前と後ろにはさみます。

4

ブランケットステッチでぬいます。

5

型紙の通りに、いちごの服を切ります。（P.32の**1**参照）

6

ランニングステッチで刺しゅうします。

7

左右を折り下げて、脇をブランケットステッチでぬいます。

8

ビーズにプラスチック用ボンドをつけ、表にはります。

9

同じようにビーズを裏にはります。

パイナップルの服をつくりましょう！

パイナップルの服をつくります（いちごの服**1**〜**7**参照）。切ったリボンにボンドをつけてはります。

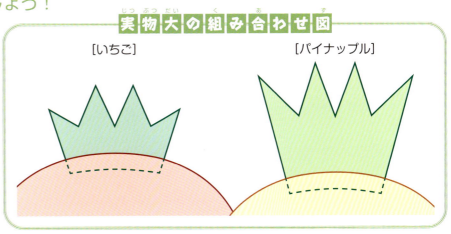
実物大の組み合わせ図

メイドの服をつくりましょう！　※型紙：P.20

❶ 接着芯をはった布を、型紙の通りにワンピースを切ります。
（P.35、P.32の❶参照）

❷ 幅2cmのフリル（8cm）にボンドをつけ、写真のように裏にフリルが内向きになるようにはります。

❸ 表に返し、フリルを外側に折りながら、真ん中以外をランニングステッチで刺しゅうします。（P.39参照）

❹ 首元の真ん中のフリルの下から針を出し、フリルの上から同じところに針を入れ、しぼります。

❺ 左右を折り下げて、脇をブランケットステッチでぬいます。

❻ 型紙の通りにエプロンを切ります。
（P.32の❶参照）

❼ 幅0.4cmのリボン（28cm）にボンドをつけ、上端に幅2cmのレースを裏から下端に長さに合わせてはります。

❽ レースとリボンを7cmに切ります。レースの端を折り、表面の端にリボンをはります。2本つくります。

❾ レースの両端にボンドをつけ、エプロンにはります。

カフェの制服をつくりましょう！　※Tシャツの型紙：P.31　ズボンの型紙：P.11（学生服のズボンと共通）

❶ 接着芯をはった布を、9.5cm×4cmに切ります。（P.35参照）ランニングステッチで刺しゅうします。（P.39参照）

❷ 幅0.7cmのリボンを40cmに切ります。真ん中にボンドをつけ、エプロンにはります。

❸ Tシャツをつくります。
（P.34の❻❶～❸・❼～❾参照）
ズボンをつくります。（P11の❼・❾参照）

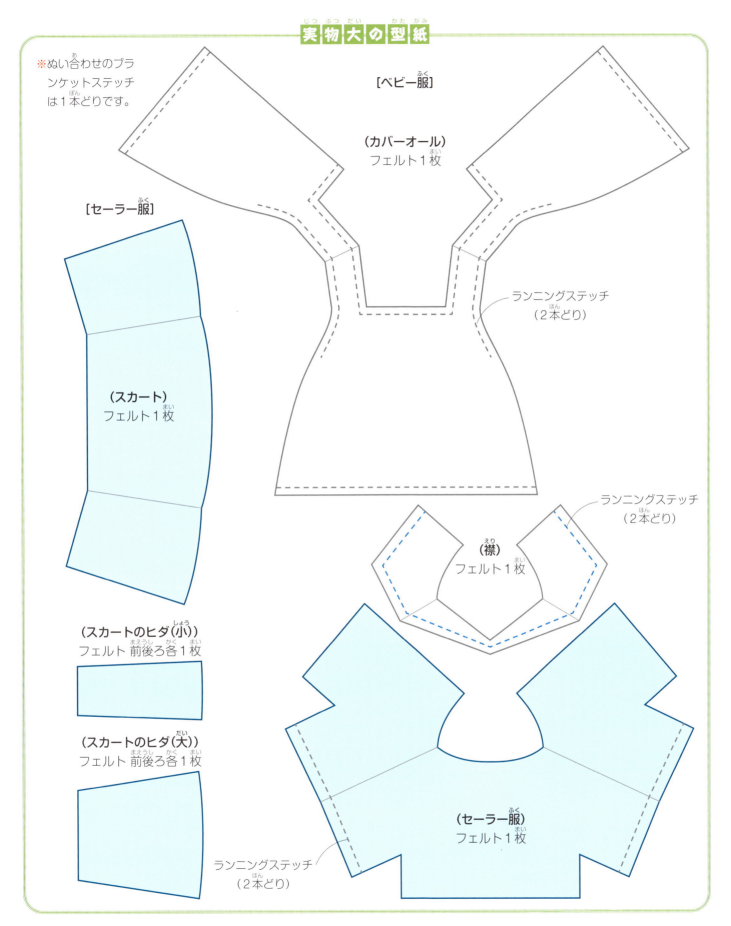

キラキラ華やか！
王子様・お姫様

ラインストーンなどをつかって飾りましょう！
ティアラや王冠は、頭にはさめるようにつくります！

かっこいい！かわいい！
アイドル

好きなアイドル衣装(いしょう)をつくってみましょう！
ドレスのフリルもネクタイも、はるだけでかんたん！

実物大(じつぶつだい)の型紙(かたがみ)
頭(あたま)・ボディ **P.31** 髪(かみ)・顔(かお) **P.31,36,37**
服(ふく) **P.11,26,29**

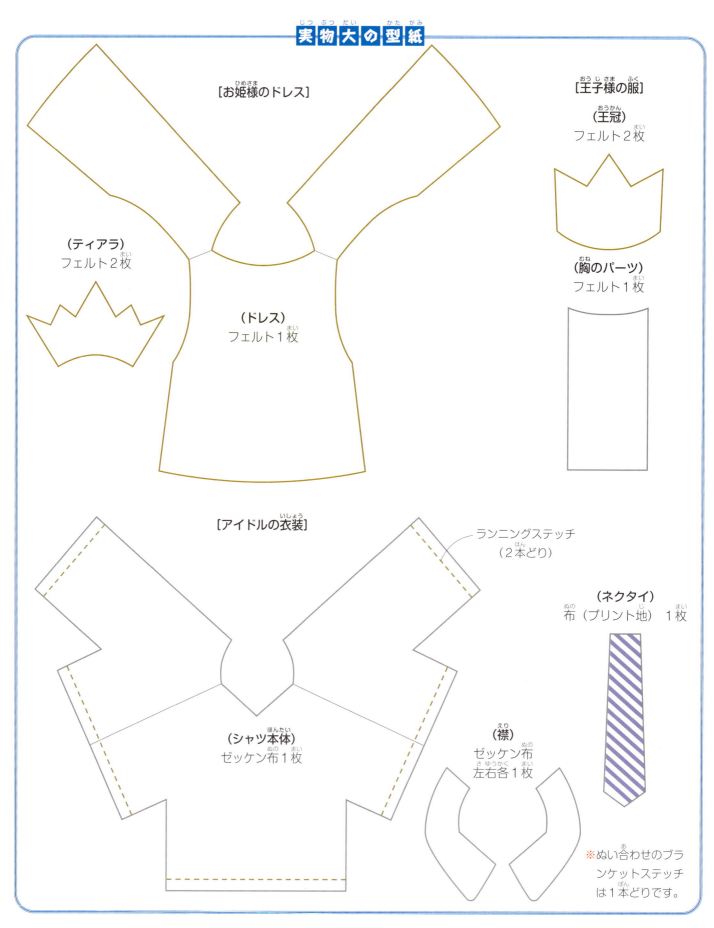

お姫様のドレスをつくりましょう！

1

型紙の通りに、ドレスを切ります。
（P.32の**1**参照）

2

脇にボンドをつけます。

3

写真のように幅2.5cmのフリル（4cm）を脇にはります。

4

左右を折り下げて、脇をブランケットステッチでぬいます。（P.39参照）

5

フリルにボンドをつけ、ドレスの裾に長さを合わせて1周はります。

6

1cm上に、同じようにフリルをはります。もう1cm上にもはり、3段にします。

7

型紙の通りに、ティアラを切ります。
（P.32の**1**参照）

8

2枚重ねて、上から半分のところまでブランケットステッチでぬいます。

9

リボンにボンドを、ラインストーンにプラスチック用ボンドをつけ、はります。

王子様の服をつくりましょう！

※ 上着本体・ズボン：P.11（学生服と共通）

1

王子様の服をつくります。
（P.10の学生服**1**・**3**〜**5**参照）

2

型紙の通りに、胸のパーツを切り、ボンドをつけ表面にはります。

3

山道テープにボンドをつけ、胸のパーツの端と袖の上にはります。

❹

ラインストーンにプラスチック用ボンドをつけ、はります。

❺
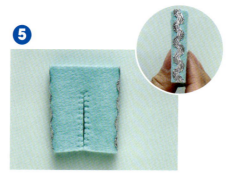
ズボンをつくります。（P.11の❼・❾参照）山道テープを横にはります。

❻

王冠をつくります。（P.27の❼～❾参照）

アイドルの衣装をつくりましょう！
※シャツ・ネクタイの型紙：P.26　ズボン：P.11（学生服と共通）

❶

接着芯をはったプリント布と、ゼッケン布を型紙の通りに、シャツのパーツを切ります。（P.35、P.32の❶参照）

❷

ランニングステッチで刺しゅうします。（P.39参照）

❸

左右を折り下げて、脇をブランケットステッチでぬいます。

❹

ネクタイを裏にして置き、上から0.8cmくらいのところを、糸をかけ結びます。

❺

ネクタイの上にボンドをつけ、シャツにはります。

❻

襟の内側にボンドをつけ、シャツにはります。

❼

型紙の通りに、ベストを切ります。（P.32の❶参照）ランニングステッチで刺しゅうします。（P.39参照）

❽

左右を折り下げて、脇をブランケットステッチでぬいます。

❾

裾をランニングステッチで刺しゅうしたズボンをつくります。（P.11の❼・❾参照）

アイドルのドレスをつくりましょう！

1

型紙の通りに、ドレスを切ります。
（P.32の**1**参照）

2

左右を真ん中に折り合わせ、股をブランケットステッチでぬいます。(P.39参照)

3

幅0.6cmのリボンを3.5cmに切ります（2本）。リボンの端にボンドをつけ、内側にはります。

4

幅2.5cmのフリルにボンドをつけ、長さを合わせはります。0.5cm上に、同じようにフリルをはり、2段にします。

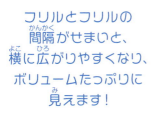
フリルとフリルの間隔がせまいと、横に広がりやすくなり、ボリュームたっぷりに見えます！

5

幅1.3cmリボンでちょうちょ結びをつくって切り、ボンドをつけて肩にはります。

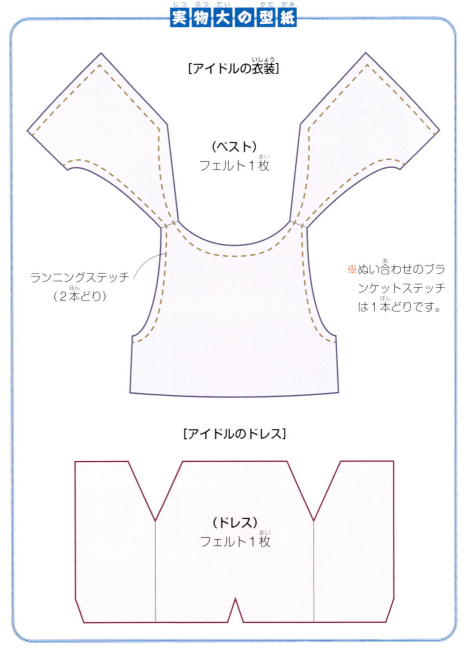

実物大の型紙

[アイドルの衣装]

（ベスト）
フェルト1枚

ランニングステッチ
（2本どり）

※ぬい合わせのブランケットステッチは1本どりです。

[アイドルのドレス]

（ドレス）
フェルト1枚

きほんの 本格推しぬい

かんたんなぬい方で推しぬいをつくりましょう！
「推し」に合わせて、髪型や色にもこだわってみましょう！

さあ、つくりましょう！

💗 材料と用具をそろえましょう。

材料
- ゼッケン布
- フェルト 青／うすだいだい／水色／黄色：適量
- 布：適量
- 刺しゅう糸 青／うすだいだい／水色／黄色／紺／うす青：適量
- 手芸用綿：適量

用具
- ● 切るもの：はさみ
- ● はるもの：セロハンテープ、手芸用ボンド（木工用ボンドでもOK！）
- ● ぬうもの：手ぬい針、刺しゅう針
- ● かくもの：鉛筆、油性ペン
- ● 使うときれいにできるもの：竹串、割り箸

💗 型紙を用意しましょう。

コピー

コピーをして、使いやすい大きさに切ります。

写す

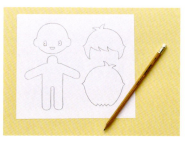

型紙の上に紙を置き、鉛筆でなぞります。

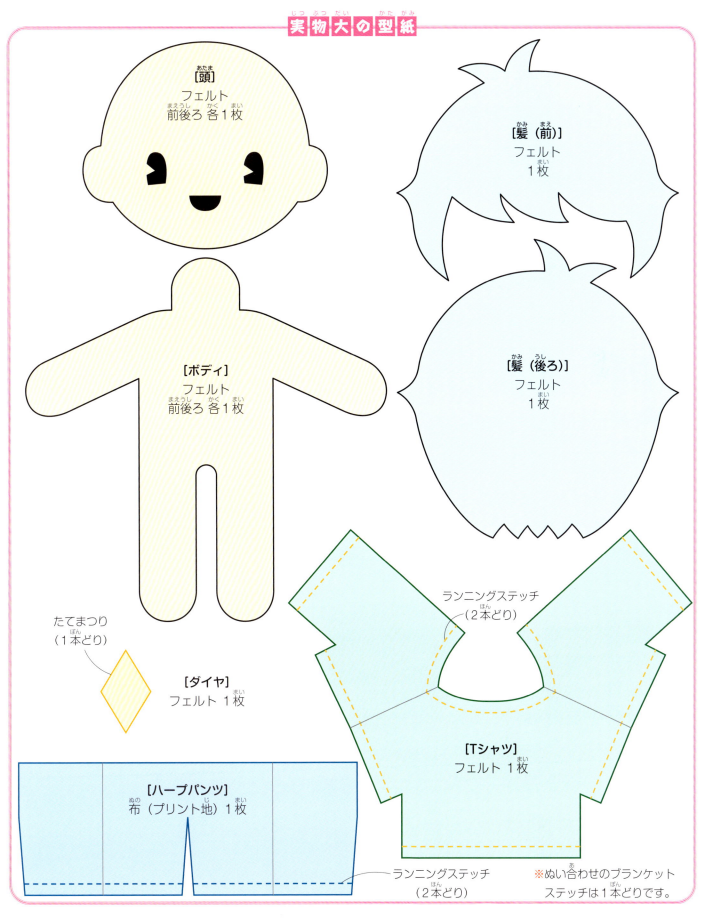

1 型紙を使ってフェルトを切ります。

① 型紙のまわりを大まかに切ります。

② フェルトにセロハンテープで型紙をはります。

③ はさみで大まかに切った後、型紙の線の上をセロハンテープごと切ります。

④ 切れました。

⑤ 切れた型紙は、フェルトにはってくり返し使います。

⑥ 全てのパーツが切れました。

2 ブランケットステッチで、ぬいます。

① 髪を重ねます。

② 写真の通り、上半分をブランケットステッチでぬいます。（P.39参照）

角をきれいにぬうために、3針、同じ場所からぬいましょう！

③ 顔を2枚重ね、あき口を残してブランケットステッチでぬいます。糸は切らずに残し、針を外しておきます。

④ ボディも2枚重ね、あき口を残してブランケットステッチでぬいます。

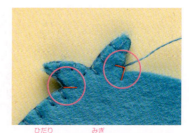
左または右のようにぬいます。

3 綿を入れます。

① 綿を小さくちぎり、割り箸を使い遠い方から順に少しずつ綿を入れます。

②厚みが1～1.5cmくらいになるように、綿を詰めます。

③同じように顔に綿を詰めます。

4 組み合わせます。

①首のところに、ボンドをつけます。

②頭に差し込み、はりつけます。

③針に頭から出ている糸を通し、あき口をブランケットステッチでぬいます。

④ぬえました。

⑤頭にボンドをつけます。

⑥裏にもボンドをつけます。

⑦髪の毛のフェルトの間に、頭を入れます。

⑧位置を確認して、はります。

⑨髪の毛がはれました。

5 顔をはります。

1

ゼッケン布をセロハンテープで型紙にはり、油性ペンで顔をかきます。

2

パーツを切ります。

3

顔の上にパーツを並べます。

4

パーツの裏に、竹串を使いボンドをぬり広げます。

5

顔にはります。

6 Tシャツをつくります。

1

型紙の通りに、Tシャツを切ります。（P.32の1参照）

2
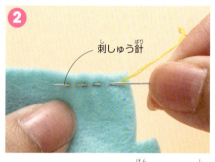
ランニングステッチ（2本どり）で刺しゅうをします。（P.39参照）

3

刺しゅうができました。

4

ダイヤの中心に少しボンドをつけ、Tシャツにはります。

5

ダイヤのまわりをたてまつりでぬいます。（P.39参照）

6

ぬえました。

❼ ❻の★の線とTシャツの下の線を合わせてたたみ、折り目をつけます。

❽ 脇をブランケットステッチでぬいます。

❾ 同じように、反対側もブランケットステッチでぬいます。

布で洋服をつくるときは接着芯をはりましょう！

必ず大人の人とやってね！

布を切ってもほつれないように、接着芯をアイロンではります。

① 接着芯を必要な大きさに切ります。
② 布の裏に、接着芯の接着面を下にして置きます。
③ 中温のアイロンで、押さえます。

7 ハーフパンツをつくります。

❶ 布の裏に接着芯をはり、型紙の通りにハーフパンツを切ります。（P.32の❶参照）

❷ ランニングステッチ（２本どり）で刺しゅうをします。（P.39参照）

❸ 裏返し、左右を真ん中に折り合わせ、折り目をつけます。

❹ 折り目に沿って折り、股をブランケットステッチでぬいます。

股は細かくぬいましょう！

ぬい始め・ぬい終わり

玉結び

ぬい始めの糸が抜けないように、玉をつくります。

❶
写真のように糸を持ちます。

❷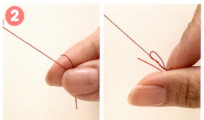
糸を人さし指にくるっと一巻きし、親指でしっかり押さえて、糸をよじります。

❸
できた輪を中指で押さえて、糸を引きます。

❹
結び目を引っぱって硬くします。余った糸先をはさみで切ります。

玉どめ

ぬい終わりも糸が抜けないように、玉をつくります。

❶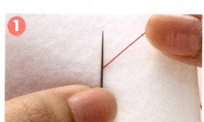
糸の出ている横に針をあてます。

❷
針に糸を2回巻きつけます。

❸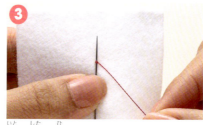
糸を下に引きます。

❹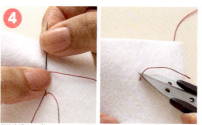
親指で押さえて針を引き、余った糸先をはさみで切ります。

きれいにぬうコツ

ぬう向き

ぬい方によって、ぬい進む方向があります。針の向きは変えずに、布を回しながらぬうとぬいやすく、ぬい目も整います。

刺しゅう糸

刺しゅう糸は細い糸6本で1本になっています。この本でしめす刺しゅう糸の数はこの細い糸の本数です。
この本では、ランニングステッチは刺しゅう糸2本、他は1本でぬいます。

針

[ぬい針]
[刺しゅう針]

ぬい針と刺しゅう針では、糸を通す穴の大きさが違います。
この本では、ランニングステッチのときは刺しゅう針を、他はぬい針をつかいます。

ぬい方の基礎 ※ぬい方がわかりやすいように、ここでは2本どりにしています。

ブランケットステッチ

① 布はしから糸を出し、糸を右側に流します。

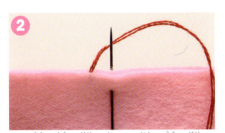

② ①の斜め下に針を入れ、糸の上に針を出します。

③ 糸を手前に引きよせ、針を抜き、糸を引きます。一針目ができました。

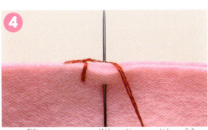

④ ②と同じように、針を入れ、糸の上に針を出します。これをくり返します。

ランニングステッチ

① 裏から糸を出し、となりに針を入れます。

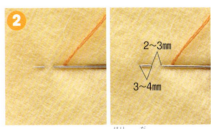

② 2～3mmのところに針を出し、3～4mmのところに針を入れます。

③ ②をくり返します。

④ 針を抜きます。これをくり返します。

布が平らになるように、ぬい始めを押さえ、爪でぬった方向に糸こきします。

たてまつり

① 布（白）にアップリケ用の布（水色）をのせ、裏から針を出します。

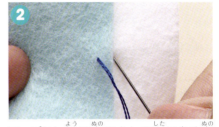

② アップリケ用の布のきわの下にある布に針を入れます。（糸はアップリケ用の布はしに対し直角になるように）

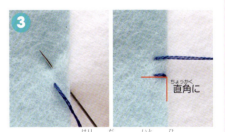

直角に

③ ①のとなりに針を出し、糸を引きます。一針目ができました。

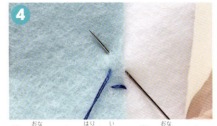

④ ②と同じように針を入れ、③と同じように出し、糸を引きます。これをくり返します。

作 **寺西 恵里子**（てらにし えりこ）

(株)サンリオに勤務し、子ども向け商品の企画・デザインを担当。退社後も"HAPPINESS FOR KIDS"をテーマに、手芸、料理、工作、子ども服、雑貨、おもちゃ等の、商品としての企画・デザインを手がけると同時に、手作りとして誰もが作れるように伝えることを創作活動として本で発表する。実用書・女性誌・子ども雑誌・テレビと多方面に活躍中。

『ひとりでできる アイデアいっぱい 貯金箱工作(全3巻)』(汐文社)
『身近なもので作る ハンドメイドレク』(朝日新聞出版)
『基本がいちばんよくわかる 刺しゅうのれんしゅう帳』(主婦の友社)
『0～5歳児 発表会コスチューム155』(ひかりのくに)
『かぎ針で編む キュートななりきり帽子＆小物』(日東書院本社)
『もっと遊ぼう！ フェルトおままごと』(ブティック社)
『30分でできる！ かわいいうで編み＆ゆび編み』(PHP研究所)
『3歳からのお手伝い』(河出書房新社)
『作りたい 使いたい エコクラフトのかごと小物』(西東社)
『365日 子どもが夢中になるあそび』(祥伝社)
他、著書は700冊を超える。

撮影 奥谷 仁　渡邊 峻生
デザイン NEXUS DESIGN
カバーデザイン 池田 香奈子
イラスト 高木 あつこ
作品制作 池田 直子　岩瀬 映瑠　やべ りえ
作り方まとめ 岩瀬 映瑠
校閲 大島 ちとせ

きせかえたい！
推しコスチューム

発行日 2024年12月　初版第1刷発行

作 寺西 恵里子
発行者 三谷 光
発行所 株式会社　汐文社
　　　　〒102-0071東京都千代田区富士見1-6-1
　　　　　　　　富士見ビル1F
　　　　TEL 03-6862-5200　FAX 03-6862-5202
　　　　http://www.choubunsha.com/
印刷 新星社西川印刷株式会社
製本 東京美術紙工協業組合

乱丁・落丁本はお取替えいたします。
ご意見・ご感想は　read@choubunsha.comまでお送りください。

©ERIKO TERANISHI 2024　Printed in Japan
ISBN978-4-8113-3174-4